劳动创造财富

2

毛妮妮 栾笑语 著

潘 婷 朱 悦 绘

知识产权出版社

全国百佳图书出版单位

清早，小闹钟欢快地跳起舞来，妮妮起床啦。

洗脸、刷牙、扎小辫，妮妮准备去上幼儿园。

洗脸、刷牙、梳头，爸爸也准备去上班。

"幼儿园多好玩儿呀！"妮妮说，"爸爸、妈妈跟我一起去幼儿园吧！"

妈妈摇摇头说："幼儿园不让大人去。"

爸爸摇摇头说："爸爸妈妈上班去赚钱，才能给妮妮买好吃的棒棒糖。"

原来，钱不是钱包里长出来的，是爸爸、妈妈工作赚来的啊！

爸爸告诉妮妮："爸爸是理财经理，能帮助更多人创造财富，这就是爸爸的工作。"

妈妈告诉妮妮："妈妈是老师，教更多小朋友做人做事的道理，这就是妈妈的工作。"

妈妈还告诉妮妮："世界上有很多工作，这些工作都能赚钱。"

有人跑来跑去，就能赚钱。

足球运动员一边跑，一边踢球，把球踢进球门里，大家都为他欢呼。

快递员叔叔走街串巷，把人们需要的物品送到客户的家门口，也很受欢迎。

有人静静坐在那里也能赚钱。行为艺术家化妆成各种模样，站在街头一动不动，形象令人惊叹。

给画家作模特，也要变成"木头人"呢！模特能帮助画家更好地完成作品，值得称赞！

　　有人坚持走路，走得又好又快；有人喜欢待在水里，游泳比走路还快。他们有的能成为运动员，既能为国家争得荣誉，自己也能收获奖金。

　　有人喜欢开车，开得像闪电一样快，比如赛车手；也有人喜欢开车，开得稳稳当当，让坐在车上的人感到很安全，比如公交车司机。

有人写字写得好，欣赏的人趋之若鹜；有人在街头为大家作画，画得惟妙惟肖。

有人唱歌像黄莺一样动听，有人跳舞如孔雀一样美丽。

他们能给人们带来艺术上的享受，既受人尊重，也能给自己带来收益。

有人很会聆听别人说话，这也是一项特别的本领，需要倾诉的人更喜欢他们，比如心理咨询师。在那里，人们甚至可以躺着对咨询师说话。

还有人很会说话，人们都喜欢听，比如演说家。在演说家面前，你可以热情地鼓掌和欢呼。

有人只会做一件事情，他们都有一技之长，就像修理工能够修理车辆，园艺师能够修剪花草。

有人不做什么动手的事情，但却更善于思考，能回答关乎生命和宇宙的问题。

无论他们在做事还是思考，都能帮助人们解决生活中的难题。

不管他们在哪里工作，都能为别人创造财富，也能养活自己和家人。

有人必须到指定的地点和其他人一起工作，如建筑工人；也有人独自在家，坐在电脑前就能赚钱。

大多数人通过努力工作赚钱，但也有人上了年纪或因生病，没有能力养活自己，需要别人的帮助。这时候，国家和身边的朋友都会向他们伸出援手。

还有一种人，有能力工作，却不想工作，伸手乞讨，向别人要钱。这些人大多是因为懒惰自私，大家都不喜欢这样的人。

"哇！赚钱有这么多办法啊！真是太有趣啦！"妮妮想了想说："长大以后，我也要努力工作，帮助别人。"

"好啊！"妈妈拍手说。

"那我能做什么工作呢？我帮妈妈扫地吧！妈妈给我几块钱？"

妈妈摇摇头，"做家务是每个人都应该做的事，不算工作，不能赚钱。"

"我帮妈妈揉揉肩膀，让妈妈更舒服，算不算工作？能不能赚钱？"

"这是妮妮对妈妈的爱，也不算工作，不能赚钱。"

"那什么才算是工作呢？"妮妮问道。

妈妈拿出一个塑料瓶子，"妮妮可以把家里能够回收利用的废品收集起来，卖掉赚钱。工作就是创造价值。"

妮妮高兴地收拾起东西来。

晚上，爸爸下班回到家。

妮妮对着爸爸的耳朵悄悄地说："爸爸，我知道什么是工作了，我还知道钱是从哪里来的。工作就是为别人创造价值，帮助别人。钱是工作之后赚来的。"

爸爸说："妮妮帮爸爸拿拖鞋、拎公文包，是不是在帮助爸爸？"

妮妮说："是的。但这不是工作，是妮妮对爸爸的爱……"

劳动创造财富

通过角色扮演的小游戏，让孩子将钱与"劳动"或"工作"联系在一起，让孩子明白钱并不是银行给的，也不是凭空而来的，而是当一个人以"体力"或者"脑力"为他人提供了服务后，获得的相应的报酬，这种报酬就是钱；从而使孩子更能理解爸爸、妈妈为什么要去工作，体谅爸爸、妈妈工作的辛苦。让孩子建立"劳动"与"收获"之间的关系，可以避免形成不劳而获，坐享其成的观念。

我们要准备什么呢？
纸币和硬币若干；
不同职业卡片（见本册书附带职业卡）

1　爸爸、妈妈先问孩子："孩子，你知道钱是怎么来的吗？"
孩子的答案可能各种各样："钱是爷爷奶奶给的""钱是从银行取出来的"
"钱是从妈妈钱包里拿出来的""钱是从爸爸的卡里变出来的"等。
　　如果爸爸、妈妈没有向孩子讲过自己的工作，那么孩子这样回答并不奇怪。
帮助孩子明白钱是从哪里来的，是培养孩子财商的重要一步。

2　爸爸妈妈拿出职业卡片，先让孩子辨认每种卡片上的职业是什么，再和
孩子讨论从事这些职业的人的工作都是做什么的，为什么会有这种职业，以及对
人们和社会有哪些帮助和贡献。

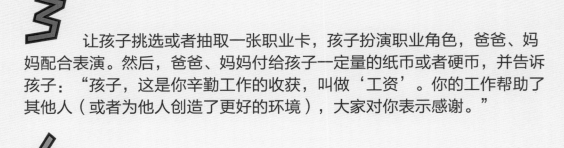

3　让孩子挑选或者抽取一张职业卡，孩子扮演职业角色，爸爸、妈
妈配合表演。然后，爸爸、妈妈付给孩子一定量的纸币或者硬币，并告诉
孩子："孩子，这是你辛勤工作的收获，叫做'工资'。你的工作帮助了
其他人（或者为他人创造了更好的环境），大家对你表示感谢。"

4　爸爸、妈妈接着问孩子："如果不工作的话，能不能不劳而获呢？"
让孩子建立"劳动"与"收获"之间的关系。

5　爸爸、妈妈从每种不同的职业出发，可以再与孩子讨论关于不同
职业需要哪些职业能力，以及为什么不同职业的薪水不同，启发孩子职业
兴趣与思考。

毛妮妮

"财智少年"青少年儿童财商教育项目创始人，金融教育从业十余载，是中国最早从事青少年儿童金融启蒙教育、财经素养培养的实践者之一；曾任瑞银金融大学（UBS Business University）中国区总监，全面负责瑞银集团中国区"第二代培养计划 —— Young Generation (睿隽计划)"的策划、设计与实施，亲历中国超高净值人群财富传承，对于中产阶层人群的财富积累、财富观养成、财富意识打造具有独到见解；近年来，一直致力于传播正确的财富观、培养青少年经济社会的独立生存能力和理性选择能力，帮助其提升幸福感。

栾笑语

吉林大学文学硕士，资深媒体人。
长期关注宏观经济和微观经济、青少年财商教育，对儿童心理学也有研究。
现供职于《经济日报》，为主任记者。

财智少年订阅号

财智少年服务号

扫一扫听绘本

⚠ **警告WARNING:**
内含游戏道具，不适合3岁及以下儿童玩耍，请在成人指导下使用。

选择什么职业呢？

舞蹈家

音乐家

科学家

服务生

警察

运动员

画家

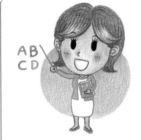

教师

厨师

司机

医生

建筑师

售货员

宇航员

公务员

银行家

请沿线剪开

职业卡 职业卡 职业卡 职业卡

职业卡 职业卡 职业卡 职业卡

职业卡 职业卡 职业卡 职业卡

职业卡 职业卡 职业卡 职业卡

请沿虚线剪开